JN016318

詩集
プチフール二丁目に住みたい
よしおかさくら
明眸社

# プチフール一丁目に住みたい　目次

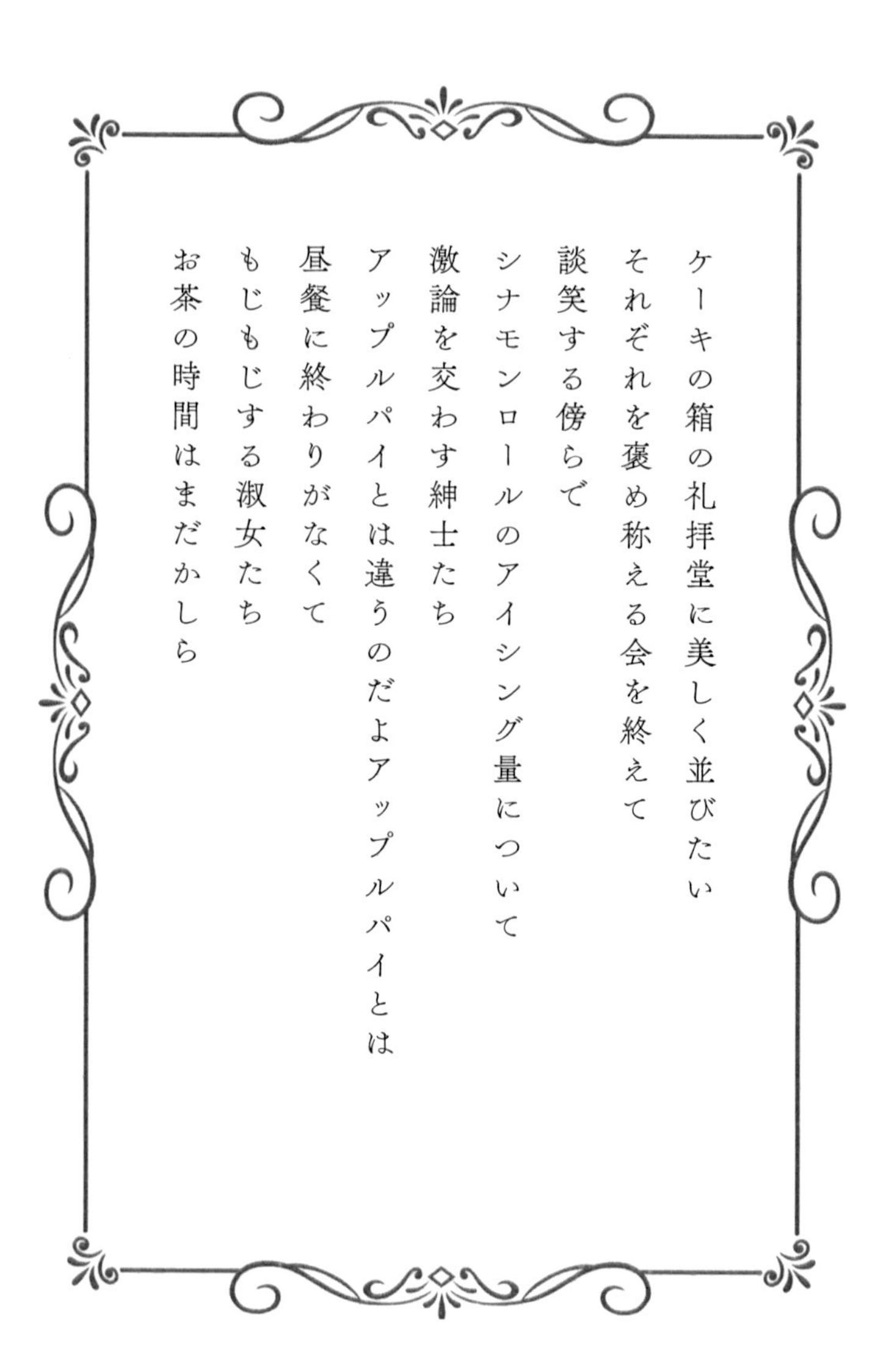

ケーキの箱の礼拝堂に美しく並びたい
それぞれを褒め称える会を終えて
談笑する傍らで
シナモンロールのアイシング量について
激論を交わす紳士たち
アップルパイとは違うのだよアップルパイとは
昼餐に終わりがなくて
もじもじする淑女たち
お茶の時間はまだかしら

# プチフール一丁目に住みたい

# 上下

人の上に人を作らずと
東の民の上では言ったが
上があるゆえに下は出来る
上は下であったがゆえ
当初は問題は無かったが
忘れられ始めてからは
上は上　下は下になった
たまにかえりたいという
還りたいのか帰りたいのか
誰にももはやわからない

## うっちゃり

身体を持つのは初めてだから
戸惑ってしまう
不自由になりたがったなんて
ご先祖様の判断はおかしい
私たちはいつから
いつまで連綿と続く
それは変わらない
変われないのに

困った時は

泣けばいいみたい
痛かったら
嫌だったら
寂しかったら
泣けばいいみたい
抱きしめられたり
撫でられたり
励まされたり
してもらえるみたい
そうやって始まるのに
泣いたらみっともないと言われ
優しくしてもらえなくなる

生まれる前に
三回許せと言われた
これは一回目だった
それから二回目がやって来た
しかし一回目は仕方なく思えて
二回目が一回目になった
これはなかなか許すことが叶わない
他のどんな苦しさも数に入らない
苦しさはどうでもいいようになり
楽しさが大切になった

たゆまぬとか
真摯にとか

投げやりたいけれど
明日はうっちゃっておいて
今に居よう
今が知れなかった私たち
今が知りたかった私たち
私たちはいつから
いつまで連綿と続く
それは変わらない
変われないけれど

## 直角

直角を粘土で出そうとして
失敗している
曲尺(かねじゃく)が要るんだよ
それは誰の指矩(さしがね)なのかしら
ボールをいくつも並べては
潰して重ねて巻きながら
何度も粘土で会話した
ずっとお隣だったでしょう
小学生になっても
お隣と信じていたのに

気がついたら違っていた

あなたは忘れたままかも
当時の机も椅子も粘土板も
スモックも
消えてしまって無いのに
ぼんやりとした
ただ楽しかった記憶だけが

あなたは例えば聞いても
そうだったんですかと
笑って帰るだろう
しかし眠る前にふと

断片に気づいて笑い
忘れてしまうだろう
あの記憶がどれだけ
私を励ましたか
それは言わないまま
直角を出すなら

ケーキにばらを飾りましょう

## アイスクリーム

フィナンシェをアタッシェケースに詰めて
持って来る
そんなのがよかったのに
あの頃みんななんのはなししてたの
みんなの噂　誰かの噂　有名人の噂
そんなにみんなはみんながすきだったの
私は挨拶だけ　ふらふら　ふらふら　ふらふら
恐いのはひとりぼっちだけど
もう既にひとりぼっちだから
そんなにひとりがいいのって聞かれた

いいや
今で言うところの推しの尊さとか
猫は液体かどうかとか
語っていた人たちもいたんだろう
私は真実に辿り着けてなかっただけ
どっちにしろ語れるほど持ってなくて
どっちにしろ上っ面だけ
楽しそうに笑っている
あの一角が羨ましいと見ているだけ
帰り道アイスクリーム食べて
帰りたかっただけ
廊下の柱の冷たさだけ

# 飴

もし詩歌という名の
お菓子を作るならば
薄い小さな飴にするだろう
口に入れたら溶けてしまう
割れてしまう
そんな薄さで
丁重に扱わなかったせいで
口に入れる前に割れてしまったのです
そういった苦情を
受け取りましょう

残念なことになりましたね
わたしは電話口で言います
食べたら切なくなった
どうしてくれるんだと
そういった苦情が
あったらいいのに
桃と苺
薄荷味
子どもの頃は苦手だった
薄荷味がなぜか人気です

# NO

心の在り処がわからない
内臓と骨格の標本を見ても
身体の中に心の収まる場所はなさそう
脳ではないのか
心とは誰だ
侵略者か

よる

すこやかなねむりの　つきのみちかけ
あしおとをたよりに　おいかけても
おだやかなねいきの　なみのみちひき
みうしなってしまう　こいやみのなか

よるをみはっていなければと
めをこらすいきものたちのといき
つきあかりはふびょうどうに
さえぎられてねむりをうながす

ひんやりしたかぜのいやしが
たいきにはたらきかけてうたいだす
とつぜんではないかみなりが
あまつぶによりそってえだわかれする

やみはよるにくばられて
みちびきはあさにとどく

## 海水浴

終わらないみずのふちを
草花を数えながら歩いて来た
湖面はゆたかに風に靡いたりして
あさに夕に飽かず眺めていられた
もりに近づけば
背のたかい木々や
なみ打ちぎわちかくには
低木があったりして
のうぜんかずら
ひすいかずら

らが
まとわりついて
目を離したすきに
小さなジャングルを形成している
やわらかい
新緑にふち取られて
花々や蝶たちとは
なれ親しんでいる
てんとう虫の星が消えたり
増えたりする
指をさし伸べれば
ちょうや
蜻蛉がはねを休める

よく似た模様のはねも
違うとわかるくらい
近しくなった
ある時
くるぶしに潮水がかかり
振りかえるとうみが広がっていた
遠浅だから危ないこともない
木々がゆったりと笑って
わたしは
海ばかりを見つめるようになった
貝殻や
すなはまや
波頭が

新鮮で楽しかった
夏には蟹や貝や
小魚にも会えた
透明な波に足を踏み入れて
泳ごうとしたこともあった
みずうみとちがって浅く
とうめいな水に素足をひたせば
思っていたよりも冷たく
波につられて引いていく砂に足が取られ
小気味良かった
陽が沈むまで遊んで
急いでかえる
ふちの緑はちいさくなったような気がした

つきのあかるい夜には
水浴をするのが決まりだ
まんなかの辺りまで行くと
水があたたかいのだった
むねまで浸かり
髪の毛をくしけずる
今夜はすこしみずが熱かったので
海のほうへ
近寄るようにして逃れると
うみの視線をかんじて
思わずしゃがみこんだ
そっとようすを窺うと

しせんなどはどこにもなかった

海へ招かれて
初めてお顔を拝見して
ぬしさまには前にお会いしたことが
あると気がついた
こちらを見て頷かれ
ほんの少し唇を笑みの形にされた
はるか昔から知っている
わたしたちの
みずという共通
そのしゅうまつは嵐が来て
湖へ帰るしかなかったけれども

それからは
海を見ている
甘い因果がいつまでも
囁き掛けてきて
うみの
決定的な苦しみを知ったから

花々や蝶たちに
親しく朝のあいさつをしながら
いつもうみが背中にある

# 世界

細胞のひとつが傷付いて死んで
隣の細胞が驚いて死んで
隣の細胞が悲しくて泣いて
隣の細胞がつられて泣いて
向かいの細胞は
あくびしながらそれを見ていて
隣の細胞は不謹慎だと注意して
取っ組み合いをして死んで
涙が辺り一体の細胞に流れ始めて
遠く

遠く離れた細胞が
それを取り除こうとしている

## 丸の内

私はここにいるべきじゃない
乙女椿を視界の端に捉えて
そっと歩み去った
尻尾を巻いている
海老みたいに美しくないが
怖気付くほどの根拠もなく
霜月、柔らかい愛を思い出したら
唐突に時空が重くてブランコは揺れない
鎖ごと絡ませてしまった少女は
いつも裸足だった

あれからのながいながい憂鬱
災厄をすぐに忘れてしまうから
爪は白くなって
心変わりする
黙って美しさを感じているのが辛くて

思いは激しい
空なんか見れない
みんなは旅に出て行ってしまった
影と私はひとつきりだのに

**純露**を口に入れた時の香りで

# 少し笑ったらもう出掛けられる

純露（じゅんつゆ）はＵＨＡ味覚糖の商品名です。

## 微睡み

几帳に仕切られた広いお屋敷を
さ迷う
母を見た気がして

ここにいたのかと
微笑まれる
吾子はこちらにおいでと
傍らに座らせられたまま
太政大臣の愚痴を聞く

左手に唐菓物(からくだもの)
右手首に勾玉のお数珠を頂戴して
扱いに困っていたら
典侍(すけ)が魔除けだと教えてくださった

蛙と兎がお相撲を取る絵巻は
射られるはずの兎が矢を射って
ちいさいはずの蛙に投げられて
琵琶の軽妙な音に
人たちのように動くから
撥(ばち)を持つのはわたくしの手
早く早くと弾いたら指を痛めてしまう
夢

目が覚めたら
御所様の腕に抱えられている
貢ぎ物の絹から蟲が現れて
指先に触れようとして死んだらしい
お数珠に込められたご祈祷には
蟲も敵わない、はず
騒ぎのなか
ひっそり笑う
憂いひとつ見つからぬ朝まだき
伽羅の香り

みず

ゆめうつつ
のどがかわいたきがするが
きっとにがいんじゃないか
ゆすいだらめがさめてしまう
なみだかとおもったらあせで
あせかとおもったらなみだだ
たちあがってはみたものの
ながめたままなにもしない
みずというだけでちかよりたい
くらがりにたてにながれていく

ふかしぎなもの
てのひらにあてて
はねかえるのをしりたい
かおにあびてみたい
おちていくのを
とめた

## 雪解け

沈みゆく春薔薇の連帯責任
君の天地はすべからく無用
離れ小島で待っていたって
水は引かない
足元に迫っては弾ける
恐がらなくていい
私は信じていよう
頑なな言葉
君のたったひとつ
本当かなんてどうでもいい

世界から匿っていた
無闇に頷いて
明けた空を見なかった
鳥の声を聞いた
呼吸の仕方で知っているはずだ
大気と夕日のひたむきな光に
飛び込んで行った記憶
影になっている岩の雪
氷の下の清らな流れは小魚の楽園
痛みの中で試練は優っていく

# チェス

きみと別れようとしてからこの方、ずっと別れ話をしている
これまで別れ話はほとんどしたことがなかったから
どのようなものなのかを知らなかった
なぜ別れる為に会わなければならないのか
なぜ思い出のフィギュアを一体ずつ譲り合うのか
知らなかった
ぼくには理由があって
きみとはもう付き合えないのだから仕方がない
羽根を生やしたフィギュアがきみの所へ行って
大鎌を振り回すフィギュアがぼくの所へ来た

これからについて
ぼくたちだったらこんな感じ
とか
ぼくたちではできないねなんて言うから
甘い時間がふたりの間に立ち塞がって、
ため息をついたり、こちらをじっと見ながら涙目になったりして、
なかなか忙しいようだ
ぼくのキングは
きみじゃないから辛いとこだね
きみの愛はいつかぼくに揺り返すのかな
だけどごめんね、一緒になって恋を宥めてやるわけにはいかないんだよ
甘い時間にデコピンして、今日も先に席を立った

## 大学芋

文学的に言えば
油が水を跳ねて嫌うのはおかしい
初対面のはずだ
なんとなく虫が好かないのか
いや元々虫は好かない
出会う前から噂が蔓延しているのだろうか
あいつら嫌な奴らだから気をつけなよ
そうやってとりあえず跳ねて
いいや
いいや、順番がおかしい

低い温度ならば
混ざらなくても共存はできるのだ
それでいいじゃないか
しかし大学芋は
いつまで経っても出来上がらないままだ
しばらく困ってから
コンロに火を

# 駅

はじめから知ってた
あなたの指が触れる
――さんと呼ばれて
肌があわだつ花酔い

わたしに息を切らす
眼差しは少しつよい
どうしたのと笑って
胸の内を収めている

出会いと別れだけが
いつまでも新鮮です
神様これはどうして
動かせない事実なの

笑顔に涙が足されて
車窓から去って行く

# 削り氷（けずりひ）

あてなるもの　うす色にしらかさねの汗衫（かざみ）。かりのこ。削り氷にあまづらいれて、あたらしき金椀にいれたる。註 水晶（すいさう）の数珠（ずゝ）。藤（ふぢ）の花。梅の花に雪のふりかゝりたる。いみじううつくしきちごの、いちごなどくひたる。

（枕草子第四二段）

もうじき氷室（ひむろ）より氷が届くという。

大膳職（だいぜんしき）の主菓餅（くだもののつかさ）、伊予遠保（いよのとおやす）は頭を悩ませていた。冬の内に雪を積み、氷室に押し込めておいたものを、夏が盛りになる度にはるばる運んでくるのだ。貴族の方々は、我が物顔で宮中行事のようにして暑気払いを為さる。

しかし、それにももう慣れてしまわれたようだ。渡殿（わたどの）を通る折に、夜更かしされる皆様のお声が聞こえてしまった。

「もう暑気払いか、日々は早く過ぎることだな」

「氷に触れられるかと思うと、楽しみでなりませんわ」

「あら、器は引き出してあったかしら。確かめなければなりませんわね」

「それはそうと、あの甘葛(あまずら)はどうにかならんかね」

「あら、お嫌でしたか」

「私には甘ったるくて旨くはないのだよ」

遠保は身を固くして聞いていたが、話題が他に移りしばらくした頃、ようやくのろのろと台盤所(だいばんどころ)へと戻った。

甘葛に飽きていらっしゃる。

遠保は目の前が少し翳った心地がした。これまで、主菓餅としてやってきたことすべてが、無駄になったような気持ちがした。しばらくの間、台に手をついていたが、ふと周りに目が向いた。

下働きが籠いっぱいにさまざまの水菓子を持ってきていた。

「それは？」

聞いておいて、遠保はかくとしたあてもなく、ぼんやりと考え始めた。瓜は氷に合わせるには水っぽすぎる。桃もまた柔らかすぎる。柘榴は食感は良いが味が弱いかもしれない。唐桃（からもも）も良いかもしれないが、別の日にお出しするつもりがある。

氷は雪だ。雪を押し固めて、氷室にとってあったものだ。お味見する限りでは、この辺りの雪とは違い、正体もないほどに馴染む口当たりであった。それを削るのだから、途方もなく柔い。こくがあるとはいえ、甘葛をかけた氷は食べ慣れてしまえば、つまらないかもしれない。

李子（すもも）はよく洗い、ひとつひとつ手に取り、食べ頃を確かめて振り分けてある。種を取り除き櫛形に切って、削って甘葛をかけた氷に添えた。
この、落ちていく真夏の夕日のような水菓子の酸味と甘み、そしてどんなに熟れても柔らかくなり過ぎない歯応えが、削り氷をこの上なく引き立ててくれるはずだ。

註　削り氷（けずりひ。削った氷）に甘葛（あまかづら・あまづら。蔦の樹液を煎じた汁のことで、はちみつに似た甘味料）をかけて、鋺（かなまり）（真新しい金属製のお椀）に入れる。

December

調理されたターキーのしどけない足
花は散っているか
きみのなかで

シュトレンは食べ飽きてしまったね
星の存在を信じろよ
態度で物を言うから
朝日が苦手で
細く頼りない骨が
果てしない未来で還ってくる

養い畠で
草を食んでおいで
私たちの骨よ
闇夜は優しく包んでくれる
そのまま好きな野山へお行き

ベーコンを編んで優しさを包み込む
遠い国から船でやって来た食材は
あまりにも旨味が這い出していて

パテのように整えられた牧場に
朝や夜がとうとうやって来て
星がざんざん降って

騒がしいお祭りを盛り上げた

本を読む、読んでいる、読み続けている、
分厚い頁に囲まれて、本のなかにいれば安全だった、けれども文章は現実の
わたしを救ってはくれない、ただ匿ってくれるだけだった、しかももう長い
こと同じ行を目で、指で、なぞっている

声は上へ上がる

なんで私ずっと電話してる間中、爪の形を気にしているんだろう、相手には
どうやったって見えないのに、

時間の流れに従って

沸き立つ恋の思念は
下がらない
上がらない
いつまでも足元にあって
風の抵抗を受けて
静電気のようにまとわりつく

春の心地する、鼓動の高鳴りが一歩先を歩いて、待っていてくれない、座り込みたいけれど歩き続ける先に、花が散り続ける場所のあるのを知ってる、匂いがする

思念が降ってくる
上から

雨が訪(おとな)いを告げて私を愛した
去って行くのはふくろう
鳴いているのはみみずく

刺青をする夢をみた、うつ伏せがよかったけれど仰向けだった、目を逸らした先、流れ星が映って天幕が揺れている、視線が執拗に追いかけてきている気がして、ばかみたいに縋るように、風に揺れる布を見ている、視線などありはしない、ふくろうのぬいぐるみがたまたまこちらを向いていただけ、紋様はあなたの筆跡に似て、私をどこまでも追い詰める

弱く小さな思いなら
よくよく逞しく育てることで
無意識は消え

時間の流れに従って下方へ行くから
地に渦巻いて吸い込まれてしまう
なんと水捌けの良いことよ

読書しているように見えて、どこの頁を開いても、書いてあることは同じ、お前をいつかは捨てると、冒頭であなたは既に言っていて、気持ちが良くておかしくなりそうだった、不安定な気圧のように、訴えかけてくる、あなたの言っていることが今日も理解できなくて苦しい、水のなかに頭まで居るみたいだ、ときどき浮き上がっては他の言葉を観ている、深く潜り込んでは歌う、彫刻が彫られた木にまだ花が咲くよ、ところで連れて来て貰った礼をしていなかった、あげられるものなどないけれど、くちづけをあげよう、接吻のような詩

夢の中で愛が成就してしまって目が覚めた、なんという悪夢、夢の中の現実に引き戻される、私たちは演じようと待っていた、前の順番の人との距離は、座っているので気にならなかった、演目が何であるのか、伝えられていない不安と闘い続ける。立て掛けられた看板を見て察する、鏡を割るのではなくて、窓を開けて愛の為に嘆かねばならない、滑らかに台詞を間違える、私はどこへでも行けるわ

すき

あなたがそれをすきだと言うと
それはあなたになってしまって
おいそれとはすきと言えない
やわくわたしに染み入っていく

あなたがあれをすきだと言うと
あれは
あなたに
なってしまって
わたしはすきと言いがたい

あなたがこれをすきだと言って
わたしがこれをすきだと言って
とおくはなれて聞こえないまま

## ケセランパサラン

ケセランパサランが捕まらない、そんなものはいないと人は言うが、姪は見たと言って聞かない、そして見つけてあげなきゃと泣く、草原に探しに行っては泣いて帰って来るから、おれが捕まえなきゃならない、餌は白粉だっていう、桐の箱に仕掛けをしておけば捕まえられるっていう、タルクに炭酸マグネシウム、酸化亜鉛、コーンスターチ、そんなもの食べたがる生き物がいるのか、生き物じゃないよ、妖怪よって、妖怪なんか飼いたいのかって驚くと、飼うって言い張る、しかし、白粉なんかまだ姪には早い、ちょうど食べていたキャラメルの匂いがした、おやつを分けてやれるか聞いた、あげるって言った、桐の箱にキャラメルを仕掛けた、蕩(とろ)けて箱に付かないようにクッキングシートまで敷いた、それだけじゃ足りないって姪は、ケサランパサラン、ケセラセラ、袈裟羅に婆裟羅、へいさるばさる、呪文を唱えた、唱えながら踊った、明日には忘れてほしいが、忘れてはもらえない、暑くなる前の時間に見に行った、キャラメルは半分なくなって、白い毛のふわふわがいた、おまえはなんだと聞いたが、答える前に口止めした、いいかお前はケセランパサラン、おれの姪に飼われてくれないか、毎日キャラメルをやる、ケセランパサラン頷いて、喜んで手に飛び乗った、なんだろうこれかわいいな、練乳を焦がしたい気持ちに蓋をした

ぼくたちはワンマイルウェアのままどこへ行こうというのだろう

ワンマイルウェアが流行り
ぼくたちのことを
ぼくたちは知らないと言い続けた年
そう20年と21年

理不尽だとリフレインしては
次々とやってくる波に
立ち向かうしかなかった
水没し
たとえ仲間が流されても

波に乗り続ける覚悟は
いまもって
辛過ぎて逃げ出したい

一度、以前
そう以前に立ち返ってみよう
ぼくたちはネクタイを締めて
或いはオフィスカジュアルとやらを
正しく身に纏って
毎日遅くなるまで働き
週末には
終電を逃す勢いで飲んでいた
会社全体の飲み会なんかはもちろん

減ってきていたけれども
折々には当たり前にあった面倒な
ただでさえ面倒な人間関係
すべて放り出してしまいたいと
思ったのは一度や二度じゃない
そんなあれやこれやが
こともあろうに禁止になり
出勤は一時見合わせになったり
いや出て来いと言ったり
五分前のセリフが消える世界
とてもじゃないが信を置けない

上から順に

振り回された人間に
ぶん回されて過ごして
ここまで来た
ここまで来た
満員電車に乗らなければ
到着できない場所
間違っているとは言えなかった
更に悪いことには
今朝、
明日になってもエレベーターは
動かない

ささくれをそのままに

出掛けて来てしまって
何かに引っ掛ける度
ちくりちくり痛む

想像していた終わりは
瞬間的であって
想像だけに甘くて
救いがあった
公平な理不尽だったはずなのに

ぼくたちはワンマイルウェアに着替えた
ぼくたちは考えられる全ての
余計なことを省いた

ぼくたちは快適になった
ぼくたちは他に何もできなくなった
しかし
ぼくたちはワンマイルウェアのまま
どこへ行こうというのだろう

頼りない存在のままで
いいのか
夜を眺めて
考えを追い出して
果てしなく長い
夜を眺めて
いる

## ホームイン

雲が風に千切れて半分になっていく
あなたはそこにいる

メジロが朝から囀っている
あなたはそこにいる

一時間に一度　特急電車が通る
あなたはそこにいる

テレビの中で選手が盗塁する

あなたはそこにいる
バックホームより先にホームインする
わたしもそこにいた

# カービングソープ

乙女椿はいつかの砂糖菓子、保護なんていらない、男は女を弱いもの、守ってやらねばならぬ、しかも黙らせなければと信じ込んでる、いいや、カービングされた石鹸、自分の身が危ういからだ、危うい身体、しかしそういった意味でも対等だとは、はなから思ってもいない、いかにも社会的には、さも自然なように扱ってみせる、誰からの贈り物なの、けれども芯からそうは思っていない、咄嗟にどうやっても本能が正体を現してしまう、宛名がない誰かからの、闘えと言うのでしょうね、それで大事にすべき女の心は二の次になるのよ、冷たい冬は終わったと言い切る勇気がなくて、心を秘めていられるだけ素晴らしいことじゃないの、彼らはああして私たちを蹂躙することでわずかな社会性を保っているのよ、そう言って黙ってきた人たち、今年は仕方がないよと肩を叩かれる、ありがとう、けれども時代が変わりました、もはや性はふたつきりではない、私たちのささやかな夕べ、計画される前に潰えてきた、けれどもわたしたちはみんなひとつの星に住む、誰もが楽しく居られる言葉で、安心して意見を述べて、墓の中からでも言いたいことがあるでしょう、わたしを愛するあの人たちときたら、既に敷いてるレースのテーブルクロスをまだ編んでいる、繊細な花瓶が揺れそう、困ったこと、愛は必ず尊敬が伴うべきなのに、優しいって意味はわかる？　薔薇の花束で誤魔化さないで、こんなに遠くまで来てしまってと嘆く気持ちはわからないでしょう、パン屑を掬い取っては去っていくギャルソン、わたしの気持ちなどわからなくていいと考えてきましたが、うやうやしい指先に見惚れて、わかってください、他人の気持ちを正確に知るのは無理と、諦めずに、決めずに、考えてみてください、わたしたちは既にそうやってきました、身を守る為に、今度はあなたたちの番なのです、どうか

月餅

彼岸であるらしかった。私は呑気にコンビニの袋をぶら下げて、歓迎の菓子が並べられたテーブルについた。いちばん長く住んだ家の長テーブルだった。思っていたより古びていて、思わず拭き掃除をした。母に会いに来たのに姿は見えない。買って来た月餅を開けて食べた。ひとりで先に食べるなんて！　と怒られるつもりだった。ナッツの歯応え、コクのある餡を味わっている筈だったが味はなかった。大口を開けて、いくつも食べた。母は気配だけで嬉しさを表現している。怒られなくて嬉しいような、母が嬉しくて嬉しいような、嬉しいのだからいいことにした。嬉しかったが何かを忘れている気がした。

## あなたの物語

あなたの物語を書こう
見も知らぬあなたの物語を
あなたはその日　誰かのために出掛けた
家族のために　自分の誇りを持って
恐怖を宥めながら家を出た
食糧を無事に持って帰る
どうしてもやらねばならないこと
だからやるのだと出掛けた
しかし帰って来なかった
家族は凍るような思いで待っていたはずだ

何が起こるかわからないが
行ってもらう他に方法がない
そして帰って来ない
どれだけ後悔しただろう
これから自分を責め続けるだろう
あなたも家族も少しも　悪くないのに

あなたは撃たれた
暴行された上　至近距離で撃たれた
残酷な殺し方で　ひと目も家族に会えずに
しかしひとりで良かった　そう考えながら
家族の無事を願いながら　死んだ

見も知らぬあなたを私でもこれだけ
わかるのに
なぜわからない人がいるのか
踏み付けにする人がいるのか

それが戦争だと　外側に立つ人よ
今までにも沢山あったと言う人よ
人間は進化しなければならない
これは退化だ　明らかな

進化しなければ　人は

海

六角形の鉛筆に波はあって
雨のしぶきに塩辛さは無くて
風の気まぐれに故郷があって
羊羹の輝きに水はあって

木々の葉擦れに煌めきは似ていて

言葉の涙に波はあって

# 夢三夜明け前

あわせがいのヤドカリをつかまえたあとは
きもだめしをしていた
やみのこい
あちらがわにいくつもりだったが
たどりつけぬままあさがきてしまう
ゆめうつつに
うみにもぐる
すわってやすめるいわばは
みつければ
みつけられてしまう

あたたかいほうへあたたかいほうへ
およぐしか
いきていかれない

せんいのようなしょくぶつがてんがいになっている
ちいさないけになかまをみた
ふたりがさってから
おびれでふれると
それはぬまだった
すこしずつしずむ
はながまいちりみずはまっさお
わたしはここでしぬのか
かくごしたが

うつくしいけしきに
ぞんがいによいきぶんだ
ゆうじんがやってきて
すぐにすくいだされた

いきたい、とくちにだしたら
いきたい、とおなじだった

はだかでシャワーのじゅんをまっていると
ゆうじんのうちひとりが
おとこにおいかけられている
わたしたちはめくばせして
すぐさまデッキブラシをてにとった

# コーヒー

コーヒーは熱湯で薄めるものです
埋めると表現してもいい

今日はコーヒーが足りていない
窓の正面にある電柱に灯りが点いていて
赤く
光っていた午後四時過ぎ

よく考えたら
マグ一杯の為のアメリカーノくらい

コーヒーメーカーは要らない
ドリッパーしか要らない

沸騰したてのお湯を
注ごうとして
やめる
コーヒーは挽いて
冷凍庫に入れてあったから
驚かせてしまうかな
幾滴か
おとして待てば
湿度と共に香りが立ち昇ってきて
ポットをテーブルに置く

もう一度注ごうと
立ち上がったら

窓の正面にある電柱に灯りは無くて
赤く
光っていたと思った何かは
夕日の照り返しだった
蒸らし終えてお湯を注ぐ

# 湯気

コーヒーの入ったマグを口元まで持って行って、時間を掛けて、ゆっくりと
息を吹きかけて冷まし、冷まし、して、しかし飲まない。

熱々の、焼きそばを、頼んで作ってもらったキャベツだけの焼きそばを、箸
で混ぜて混ぜて冷まして、それから箸で摘んで、
口元に持って行くかと思ったがしかし、そのまま箸を下げて、
食べない。

理由があるのよ
母は言うのだが

思い出の中で
私は笑っている
母も笑っている

おかゆを炊いて、嬉しそうに小さなお椀に盛って来て、湯気の立っているのをお匙で混ぜて、冷まし、冷ましして、右に寄せて、左に寄せて、それから、お匙に乗せて、口元に運ぼうとして、やっぱりお椀に戻す。

ゆっくり
ゆっくりどうぞ
今ごろになって
わかるなんて
ねぇ、お母さん

## 墓

よくこなれた畑の土になって
あなたの布団に入る
朝日が眩しくて目が開けていられないよ
春を迎えた世の中は芽吹きだとか
花見だとかあわただしい
空の上では雲のベッドが柔らかい
土の上では蜂を誘う声がかまびすしい
戦闘はやまず何も聞かず
命もろとも破壊するらしい
欲しいものに

勝手に触れずにいられない人たち
その力は赤ん坊のように弱くあるべきで
守るときに使われたかった
生きたい生きる行きたい行こう
風のこだまは強く響き合っている
植物を枯らしてしまって
あまりにもここは静かだ
何ひとつない王国

日が差して魔が刺して

長芋も毛穴から毛が生えていると気づいてから十ヶ月、螺旋に組み込まれて今日も生きている、あなたの肌着から蜘蛛の赤ちゃんの死体が確認されましたので、どうか十月十日ご自愛ください、イースターに沸いているハリネズミの前進、そして後退、少しずつの暖かさのモザイク、花々のコラージュ、始まりの呪文はまだ唱えられていない、雲を撮っている時の正しい位置、蜘蛛を掴む時の正しくない動き、日が差して魔が刺して自転と公転で私たちを回す、誰もがスーパーマンの時間を遡るシーンを観てない、私たちはいつも他者でしかない、

この世はお互いが見れる仕組みに過ぎない

私だってずっと同じでいたかった
だけど誰かが言うんだもの
私たちはどんな形？
ヒトを選んだら人間という生き物になった
死んだら故郷の月に帰る
それだけのことなのに
まさか争ったり憎しみ合ったりするなんて
まさか文化や経済が始まるなんて
思ってもみなかったんだよ
私たちが侵略者だよってずっと
教えてあげたかった
何も無い月はいいよ
いつかでいいからおいで

## 水屋

古くは水屋
澄んだ水を桶に入れ
棒手振りが売り歩く

同じ水でも白玉と
砂糖を値に応じて足し
荷車で売るのは水売り

「びっくり水はありますか?」

スーパーで訊ねられる不思議

蕎麦うどん中華麺ひやむぎ素麺
麺類すべてを
買おうというのか

ペットボトルに入れただけで
水が売れると聞いて
岩清水　天然水　雪溶け水
爽やかなイメージを貼り付けた

コンビニで蕎麦を冷やしたら
ほぐす必要があると
調味料のように水を売る
ほぐし水もそう　水です

si,

予め同意したものと見做します。
詩が
死と同じ音であるのは大きな慰めだ

わた死は
生と死を分つまで
死と共にある

si, と頷いて扉をあける
教会の外はいつも晴れて小鳥が鳴く

## 十一月

ピアノ音をひとつずつ嗜む季節が訪れた
落ち葉の高くて乾いた音のする不思議

乾燥していく匂い
火の用心の音が窓外に
母の小言のようにある
冷えた夜の懐かしさよ

後日談が聴ける喫茶店が少なくなって
通知には仕事を休ませるようになって

メレンゲシャンティの新鮮な驚きを以って

希望の光がはじめは弱々しく
段々と強く輝きだす
太陽の光に取って代わられて
見えなくなるだけ

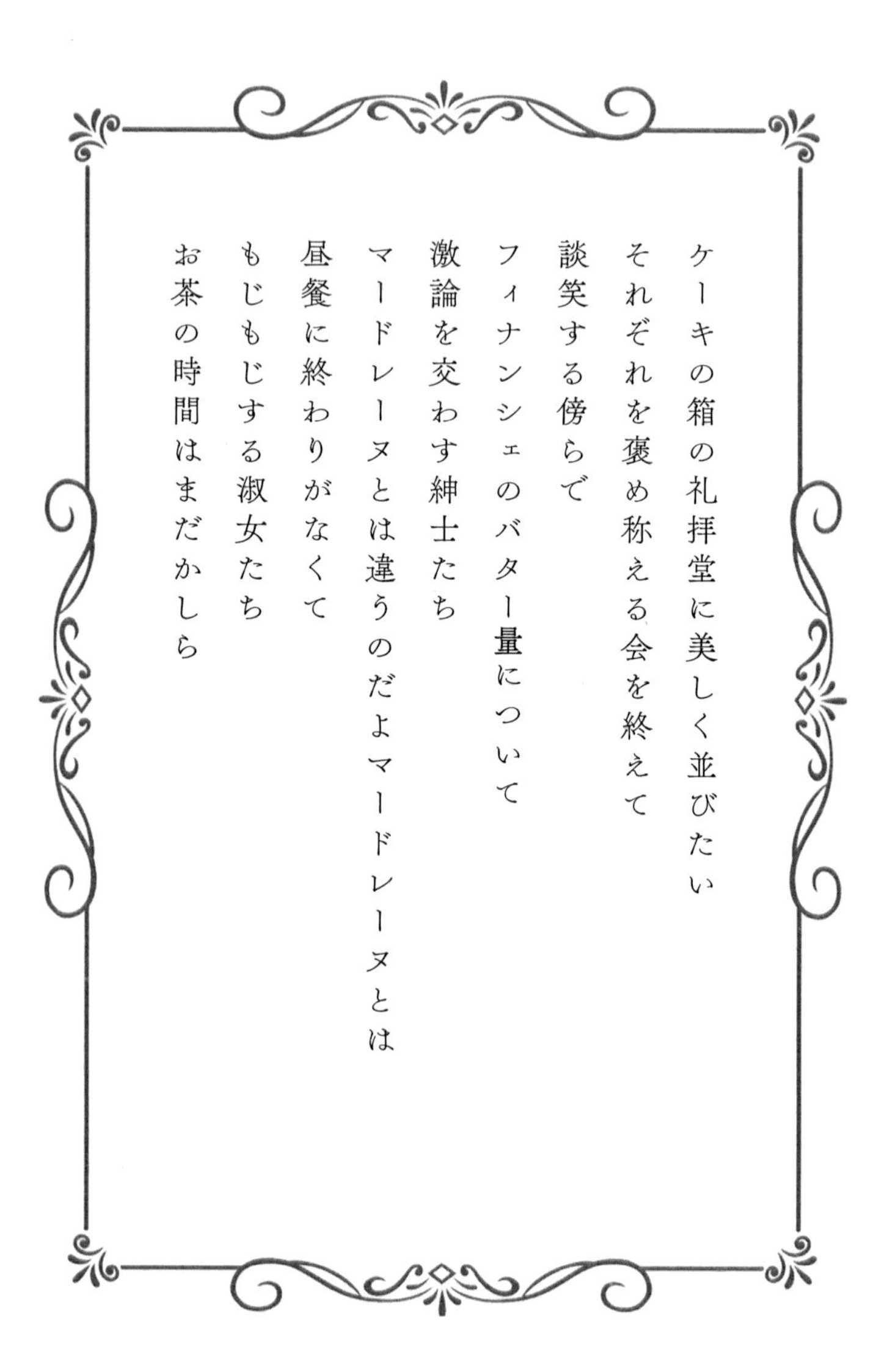

ケーキの箱の礼拝堂に美しく並びたい
それぞれを褒め称える会を終えて
談笑する傍らで
フィナンシェのバター量について
激論を交わす紳士たち
マードレーヌとは違うのだよマードレーヌとは
昼餐に終わりがなくて
もじもじする淑女たち
お茶の時間はまだかしら

# プチフール一丁目に住みたい

## 初出一覧（詩集編集にあたり改稿した作品もあります）

プチフール一丁目に住みたい　Twitter 12:27 2022/09/04

駅　Twitter 一かけらの今　2022年「彼と彼女のソネット」5月の恋愛詩

削り氷　詩誌「recipe summer set」2022年

December　Twitter 10:11 2021/12/24

ぼくたちはワンマイルウェアのままどこへ行こうというのだろう　2021年「びーれびしろねこ社賞優秀賞」

カービングソープ　「詩と思想」2022年7月号読者投稿欄入選

夢三夜明け前　「ビーレビ作品掲示板」2022/3/27

湯気　2022年版 千葉県詩人クラブ「千葉県詩集」第55集

## よしおか さくら　略歴

1974年生まれ、千葉県在住
ネット詩誌「Recipe」同人
詩誌「カフェオレ広場」参加
ネットプリント詩誌「友人」同人


# プチフール一丁目に住みたい

二〇二三年八月二十日　初版第一刷発行

著　者――よしおか さくら
イラスト――あやつき しろ
装　幀――花山周子
発行者――市原賤香
印刷所――株式会社イニュニック
発行所――明眸社
〒一八四―〇〇〇二
東京都小金井市梶野町一―四―四
電話　〇四二―五五―四七六七
https://meibousha.com